GUÍA *para un* EMBARAZO *feliz*

- Yoga
- Gimnasia
- Masajes

GRULLA
EDITORA

Primera edición: mayo de 2001

I.S.B.N.: 987-520-133-2

Se ha hecho el depósito que establece la Ley 11.723

Buenos Aires - República Argentina
IMPRESO EN ARGENTINA
PRINTED IN ARGENTINA

Índice de capítulos

Introducción

El embarazo es, sin duda alguna, una de las experiencias más hermosas, plenas, y positivas de la vida. Sin embargo muchas mujeres le tienen miedo al parto, y éste es el peor enemigo de una mujer que está dando a luz.

En este libro les propongo afianzar y profundizar el conocimiento de nuestro propio cuerpo, para colaborar emocionalmente en este proceso creativo tan especial.

El yoga, por ejemplo, conlleva un sinfín de ventajas tanto físicas como mentales, sumamente benéficas a la hora de prepararnos para el parto: por un lado, con la práctica de algunas posturas nos sentiremos más flexibles, y aprenderemos a escuchar y a reconocer las señales de nuestro cuerpo; por otro, esta disciplina, a través de ejercicios de relajación, nos permitirá llevar adelante esta etapa sin temores.

En este libro encontrarán diferentes propuestas -posturas y movimientos; técnicas de relajación y respiración; masajes-fáciles de realizar en el momento que ustedes elijan, con ropa cómoda y en un lugar que les resulte agradable.

Poco a poco aprenderán a mirar con otros ojos su cuerpo, y a comprender los cambios por los que están atravesando ustedes y el bebé.

Si realizamos ejercicios o gimnasia habitualmente, debemos comunicar de inmediato al instructor nuestra nueva condición.
Consultemos con el médico antes de emprender una actividad física para informarnos respecto de sus posibles riesgos y/o beneficios.

CAMBIOS *durante el* *embarazo*

LOS TRES PRIMEROS MESES

A pesar de que se producen muy pocos cambios corporales exteriores, los primeros meses del embarazo son los más extraordinarios.

En la cuarta semana, el embrión mide aproximadamente 1 cm; a la 8ª semana, el feto medirá 3,5 cm; y, hacia la semana 12, habrá alcanzado los 10 cm.

Aunque el útero se agranda para albergar al feto durante su desarrollo, la forma del cuerpo de la madre apenas varía durante este tiempo, y sólo es perceptible un ligero engrosamiento de la cintura y un pequeño aumento en el tamaño de los pechos.

Veamos, paso a paso, las transformaciones que suceden en el cuerpo de la mujer y la evolución del bebé.

EN LA MADRE

• Los pechos aumentan de tamaño y están más sensibles. Sus venas se vuelven más prominentes.

• Pequeñas protuberancias -los tubérculos de Montgomery- aparecen en los pezones.

• Suele tener necesidad de orinar con mayor frecuencia que la habitual.

• Es normal la sensación de cansancio, incluso de agotamiento.

• Pueden presentarse desvanecimientos.

• Puede cambiar el sentido del olfato y el gusto.

• Pueden experimentarse mareos y náuseas.

• La confirmación física del embarazo es posible en torno a la séptima semana, cuando el útero aumenta de tamaño y el cuello del mismo se ablanda. El test de la orina, en cambio, puede realizarse dos días después de la primera falta.

En el hijo

• El óvulo es fecundado, se implanta en el útero y comienza a formarse la placenta.

En el embrión, ya se distingue la cabeza.

• Empieza a formarse el cerebro y la médula espinal, junto con los miembros.

• Los latidos del corazón ponen en funcionamiento la circulación.

• Aproximadamente en la octava semana, es perfectamente reconocible la forma humana del embrión, que ahora recibe el nombre de feto.

• Ya hay esbozos de la nariz, la boca, los ojos, y comienzan a formarse las partes internas de los oídos.

¿QUÉ SUCEDE EN EL SEGUNDO TRIMESTRE?

En la madre

• La areola crece y se oscurece.

• Pueden aparecer marcas en pechos y abdomen.

• De los pechos puede fluir calostro (primera leche, formada por células con partículas de grasa).

- Pueden desaparecer las náuseas.
- Disminuye la necesidad de orinar.
- Pueden reavivarse el interés y las energías sexuales.
- Comienza el aumento de peso, y la línea de la cintura desaparece en la 16ª semana.
- Los primeros movimientos del bebé pueden producirse desde la 20ª semana aproximadamente.
- El útero se eleva hasta el nivel del ombligo en la 24ª semana.

EN EL HIJO

- Párpados formados pero cerrados.
- Nariz y boca totalmente desarrolladas, comienzan a crecer las orejas.
- Se ha formado el corazón y bombea la sangre a través del feto y el cordón umbilical.
- Comienzan a crecer los órganos sexuales.
- Comienza a crecer el pelo en la cabeza.
- Los brazos y las piernas se mueven.
- A las 24 semanas el bebé podría, si fuera necesario, vivir fuera de la matriz, pero los pulmones no están completamente maduros.

La boca se desarrolla en el 4º mes; en el 5º, lo hacen los pulmones y, hacia finales del 6º mes el peso del bebé es de aproximadamente 900 gramos.

LOS ÚLTIMOS TRES MESES

El promedio del aumento de peso es de 1 kg por mes. Durante los tres últimos meses del embarazo, el bebé se prepara para nacer, triplicando su peso entre las semanas 28 y 40.

En la semana 36, el útero oprime los pulmones y el diafragma, dificultando la respiración profunda de la madre.

En la madre

• A partir de la semana 30, es probable que los pechos empiecen a segregar un líquido llamado calostro: es una sustancia amarillenta que se produce antes que la leche, y que brinda al recién nacido nutrientes y anticuerpos fundamentales en sus primeros días de vida.

• Puede volver a presentarse la necesidad de orinar con mayor frecuencia, ya que el útero presiona la vejiga.

• La fatiga es un síntoma habitual.

• Pueden aparecer venas varicosas y hemorroides.

• Es uno de los períodos privilegiados para lo que se conoce como "antojos".

• A la 30ª semana, el ombligo empieza a achatarse.

• Las costillas se separan ligeramente ya que los pulmones han sido desplazados por el crecimiento del útero.

• La retención de líquido puede provocar hinchazón en las manos y los tobillos.

En el hijo

• Tanto el cuerpo como la cabeza se desarrollan hasta alcanzar las proporciones que tendrá el bebé recién nacido.

• Los huesos del cráneo todavía son muy blandos y flexibles (lo que resulta necesario para permitir que la cabeza pase a través del canal del parto).

• El cordón umbilical alcanza su máxima extensión. El feto llena el útero y hay más líquido amniótico alrededor del bebé que en ninguna otra fase del embarazo.

• El bebe se coloca en la posición que va a adoptar para el nacimiento, habitualmente con la cabeza hacia abajo.

• Hay menos espacio para que el bebé pueda moverse, por lo que la madre percibe cuando cambia de posición brazos o piernas.

• Los riñones han madurado y el hígado es capaz de tratar algunos de los desechos producidos por el propio organismo.

• Si es un varón, los testículos descienden hacia el escroto.

• El pelo de la cabeza se hace más largo y crecen las uñas de manos y pies.

Hacia la 17ª semana, la cintura tiene que servir de contrapeso al crecimiento del útero, lo que puede producir dolores de espalda, que pueden prevenirse manteniéndose bien erguida.

EL *parto*

Un día, un dulce día,
con manso sufrimiento,
te romperás cargada como
una rama al viento.
Y será regocijo
de besarte las manos,
y de hallar en el hijo
tu misma frente simple,
tu boca, tu mirada,
y un poco de mis ojos,
un poco, casi nada...

José Pedroni

El parto señala el final del embarazo. La mayoría de las mujeres suelen tener miedo y, en especial, las primerizas.

Durante el parto, las contracciones envuelven y hacen vibrar al feto. El alumbramiento no tiene por qué ser traumático ni para la madre ni para el bebé.

Mediante el yoga, nuestra respiración se transforma en un instrumento para liberar tensiones, entendiendo que cada contracción nos acerca más a ese momento tan deseado: tener a nuestro hijo entre los brazos.

¡LLEGÓ EL MOMENTO!

Las señales que indican el inicio real del parto son tres:

- **Contracciones**: con un ritmo regular, aumentando progresivamente en duración, intensidad y frecuencia; se sienten en la espalda y los riñones, y se irradian hacia delante y abajo, en dirección a la vagina. Su función es presionar el saco amniótico hasta que el cuello del útero esté suficientemente dilatado.
- **Expulsión del tapón mucoso**: más denso y mucoso que el flujo habitual, mezclado a menudo con un poco de sangre, por lo que se conoce como "muestra de sangre". El fluido amniótico lubrica el canal cervical, facilitando el paso de la cabeza del bebé.
- **Rotura de bolsa**: pérdida de abundante líquido caliente e incoloro, por la vagina. Es el líquido amniótico en el que estaba suspendido el feto.

PRIMERA ETAPA: EL PRE-PARTO

El trabajo de parto puede empezar con alguna de las señales antes mencionadas.

El hecho fundamental que caracteriza a este período es la dilatación progresiva del cuello del útero.

Para hacer más comprensible toda esta etapa –que en definitiva es la más larga– la separaremos en tres fases:

- ENCAJAMIENTO

Empieza con el aumento de la frecuencia, intensidad, y duración de las contracciones, la dilatación inicial del cuello uterino y va acompañado por un descenso importante del feto.

En algunas mujeres, especialmente las que ya han dado a luz, este movimiento se realiza cuando comienza el parto.

- DILATACIÓN

Las contracciones se hacen más frecuentes, duran más tiempo y son más fuertes. Si son efectivas consiguen dilatar el cuello de la matriz hasta los 8 cm. Y el niño sigue descendiendo.

- TRANSICIÓN

Las contracciones se aceleran un poco más pero a intervalos irregulares, y también se alarga su duración, hasta lograr la dilatación completa (alrededor de los 10 cm). El niño continúa bajando, y la presión que produce sobre el recto y la vejiga urinaria se traduce en una sensación de peso y muchas ganas de empujar.

Los músculos abdominales también se contraen y ayudan a la expulsión del niño.

Si no se había roto bolsa todavía, lo usual es que suceda en este momento.

*Cuando se rompe la bolsa,
el útero con su fuerza contráctil actúa directamente sobre el feto y hace más rápida la expulsión.*

SEGUNDA ETAPA: EL PARTO

Se caracteriza por una necesidad imperiosa de apretar, parecida a la que uno tiene antes de ir de vientre.

Las contracciones se intensifican, y hay que aprovecharlas para facilitar el tránsito del bebé. El esfuerzo de empujar debe hacerse sobre el útero, en dirección a la vagina y hacia fuera.

El feto irá descendiendo el último trecho hasta que se visualice la cabeza, desde el exterior.

Tras la salida del niño suele fluir liquido amniótico teñido de sangre, y se expulsa la placenta.

El primer contacto, piel a piel, entre madre e hijo es un momento especialmente intenso que inaugura un nuevo tipo de relación entre ambos.

LA *respiración*

Controlar la respiración es fuente de innumerables beneficios –tanto físicos como psíquicos– y existen numerosas técnicas para ello. En este capítulo describiremos las que nos parecen más simples de realizar.

Tomar y expulsar aire con cierta regularidad, es solamente la parte externa de un proceso interno que hace llegar el oxígeno contenido en el aire inhalado, hasta todos los rincones del organismo, y eliminar toxinas.

En la respiración intervienen:

- La nariz, a través de la cual se inhala el aire.
- Los pulmones, que tienen la función de filtrarlo.
- Todo el sistema circulatorio arterial y venoso, ya que la sangre lleva el oxígeno a cada rincón de nuestro cuerpo y recoge toxinas.
- El corazón, como bomba propulsora de la sangre.
- El diafragma que, por un lado, constituye la barrera de separación entre el aparato respiratorio y el aparato digestivo; y por otro, actúa a modo de émbolo, ayudando a la expansión y retracción pulmonar.

Y AHORA ¡A PRACTICAR!

Para observar las características del ritmo respiratorio, el mejor modo es buscar una posición cómoda (puede ser acostada, boca arriba; o sentada, con la espalda apoyada contra la pared).

Dejamos que la respiración sea fluida y natural. Observamos si es más torácica o abdominal, según el movimiento de ambas zonas.

EJERCICIO Nº 1

Respiración torácica

Sacar todo el aire, soplando, hasta que los músculos abdominales se contraigan firmemente.

Inspirar lentamente, manteniendo el abdomen relajado y haciendo descansar el diafragma, a fin de que el tórax se llene completamente.

Volver a espirar, lentamente.

EJERCICIO Nº 2

Respiración abdominal

Inspirar, llenando el abdomen, y espirar, vaciándolo.

El secreto está en hacerlo lo más lentamente posible, alargando progresivamente su duración.

EJERCICIO Nº 3

Respiración acelerada o jadeo

Es adecuada cuando las contracciones son más intensas y seguidas.

Su objeto es mantener la buena oxigenación de la madre y el niño, impidiendo a la vez que el diafragma baje sobre la cavidad abdominal y comprima el útero.

Respiramos ligeramente, con la boca abierta. Las inspiraciones y espiraciones son cortas y rápidas.

Cuando sea necesario respiraremos hondo y luego seguiremos con el ejercicio.

EJERCICIO Nº 4

Respiración completa

Es una combinación de la respiración torácica y abdominal.
Inspirar lentamente por la nariz, llenando progresivamente el abdomen y luego el tórax -como si estuviéramos llenando una botella vacía- y espirar en forma lenta y progresiva.

EJERCICIO Nº 5

Técnicas de pujo y soplido

Llenar los pulmones de aire, retenerlo y, con la ayuda del diafragma, proyectarlo hacia el abdomen.
Inclinar la cabeza hacia delante para, de esta manera, reducir el espacio torácico en favor del abdominal.
Los pujos deben practicarse, sin llegar a hacerlos efectivos. Es decir, llenar el tórax y mantener el aire, pero sin empujar realmente, soltar el aire y tomarlo para retener nuevamente.
La proyección del esfuerzo debe concentrarse en la vagina.
La técnica contraria al pujo es el soplido, es decir, soplar muy, muy lentamente y mientras la contracción continúa.

EJERCICIO Nº 6

La respiración durante las distintas fases del parto

Durante las primeras fases podemos leer, escuchar música, controlando la frecuencia e intensidad de las contracciones, salida de aguas o cualquier otro tipo de manifestación.

Hay que tener en cuenta que el proceso digestivo se paraliza iniciado el parto.

Una vez que las contracciones se hagan rítmicas y relativamente frecuentes, podemos empezar con respiraciones controladas:

• **Respiración abdominal**: al acabar la contracción, inhalar y exhalar lentamente.

• **Respiración de jadeo**: cuando el ritmo aumente y la intensidad sea mayor, y relajándose en cuanto la contracción haya cedido.

Antes de pujar, hay que consultar a quien nos asiste durante el parto.
Si se nos aconseja esperar, podremos recurrir a la técnica de soplido, y mantener la respiración de jadeo durante el resto de la contracción.

Repasemos entonces cómo debemos articular los distintos tipos de respiración ante una contracción:

• Cuando comienza, llenar de aire los pulmones y retenerlo (sin gemir, ni abrir la boca).

• Concentrándose en el diafragma, empujar hacia la vagina.

• 15-20 segundos de esfuerzo, soltar el aire, volver a inspirar y pujar.

• Cuando acabe la contracción, una respiración completa, y relajarse hasta la próxima con respiraciones largas y profundas.

GIMNASIA
yoga

Las asanas o posturas básicas que actúan principalmente en la zona pélvica y el abdomen –la mariposa, *yoga mudra*, la posición de loto, la del diamante, el gato, sin olvidar sentarse frecuentemente en cuclillas– son ideales para practicar durante la gestación.

Con las diferentes asanas aprendemos también a concentrarnos en la respiración. Al ser conscientes de ella, podemos determinar su ritmo: rápido o lento, profundo o superficial, que se refleja en nuestro estado emocional, físico y mental.

Para nuestra sesión de yoga usaremos ropa cómoda, holgada, preferentemente de algodón. Es conveniente elegir un lugar tranquilo, bien ventilado, donde nadie pueda molestarnos.

Necesitaremos una colchoneta, una manta y algunos almohadones.

Hay que elegir un momento en el día para realizar los ejercicios. Practicarlos con regularidad nos ayudará a sentirnos cada vez más flexibles, más fuertes, más activas y con más energías.

POSTURAS BÁSICAS

Es conveniente hacer una rutina de precalentamiento antes de practicar las posturas que veremos a continuación. Algunas son para realizar de pie, otras sentadas, arrodilladas o incluso, acostadas. No debemos fatigarnos: podemos elegir algunas posturas, organizar una sesión con ellas e ir variándolas, día a día.

Podemos estirarnos, desperezarnos, comenzar a mover el cuello, los pies y las manos, la columna y el resto de las articulaciones, hasta que estemos listas.

La danza del elefante

Nos ponemos de pie y separamos las piernas (la apertura no debe superar el ancho de las caderas).

Torcemos el tronco hacia un lado, y hacia el otro.

Los brazos deben colgar a los costados, acompañando relajadamente cada movimiento.

Estiramiento de los lados del cuerpo

En la misma posición que en la postura anterior, llevamos los brazos hacia arriba.

Estiramos un brazo -como intentando alcanzar algo- y luego el otro, varias veces.

Asi se distienden las costillas, las axilas, y los brazos.

Finalmente, volvemos a la posición inicial.

MEDIA POSTURA DE LA LUNA

Con una inhalación, levantamos el brazo derecho y estiramos todo el costado, como tratando de alcanzar algo que está muy alto.

Al exhalar, flexionamos el tronco hacia el lateral izquierdo. Nos mantenemos unos minutos en esta postura y volvemos a la posición inicial.

Repetiremos el ejercicio, flexionando el tronco hacia el otro lado.

Postura de la silla

Con los pies y las piernas juntos, elevamos los brazos sobre la cabeza y juntamos las palmas de las manos.

Flexionamos ligeramente las rodillas, en un ángulo que nos resulte cómodo y que no implique un esfuerzo de equilibrio.

Regulamos la respiración mientras mantenemos esta postura; luego la desarmamos lentamente.

Mahavirasana

De pie, con las piernas juntas y los brazos a los costados del cuerpo.

Adelantamos el pie izquierdo y colocamos las manos a la altura del pecho.

Cerramos fuertemente los puños.

Flexionamos la pierna de adelante y colocamos los codos a la altura de los hombros.

Entonces, ejerceremos fuerza con todos los músculos de los brazos y pectorales, contrayéndolos vigorosamente.

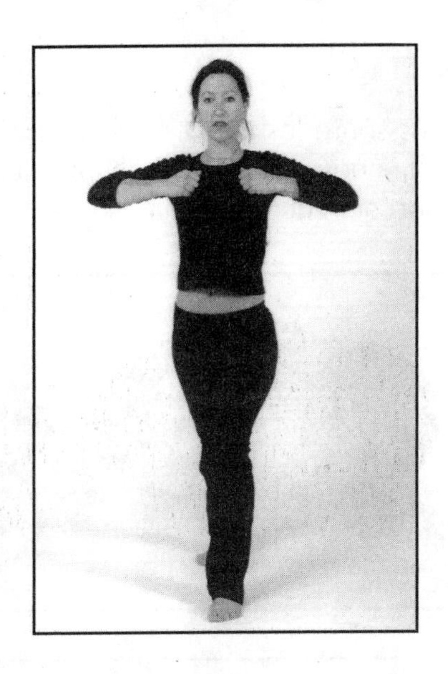

POSTURA DE LA MEDIA COBRA (DE PIE)

Adelantamos el pie izquierdo y flexionamos la rodilla, formando un ángulo recto entre el muslo y la pantorrilla. Apoyamos las manos en la rodilla y estiramos la pierna derecha hacia atrás.

Estiramos la columna procurando trabajar la zona dorsal, sin forzar las vértebras lumbares. Repetimos cinco veces de cada lado.

Posición fetal

Con los glúteos sobre los talones, inclinamos el tronco hacia adelante hasta apoyar la frente en el piso. Los brazos quedarán a cada lado del cuerpo, hacia atrás.

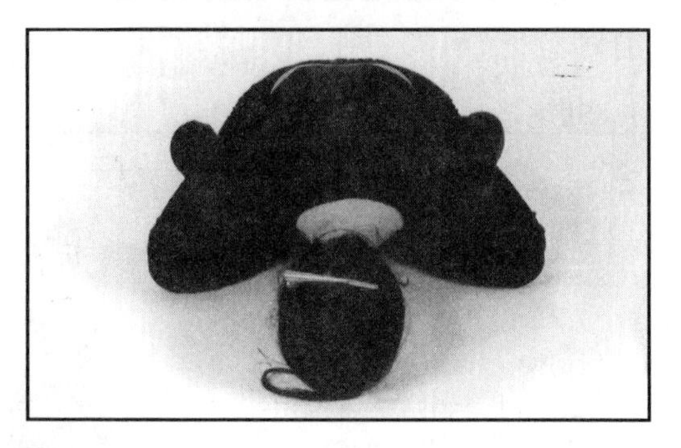

Puede separar un poco las rodillas y, de esa manera, darle suficiente lugar al vientre. También, si le resulta más cómodo, apoye la frente sobre un almohadón.

LA LIEBRE

Nos arrodillamos; apoyamos las manos en el piso, justo delante de las rodillas.

Nos mantendremos en esta postura por un momento, mientras respiramos pausadamente, prestando atención a la entrada y salida del aire.

EL GATO

Partiremos de la misma posición que en el ejercicio anterior.

Al inspirar, llevamos la cabeza hacia atrás, hacia la espalda; sacamos la cola y arqueamos la espalda.

Retenemos el aire unos minutos y luego, al exhalar, invertimos la curvatura de la espalda, bajando y llevando la cabeza hacia el pecho.

Repetiremos este ejercicio dos o tres veces. Al finalizar, nos acostaremos sobre la colchoneta.

Postura de la media cobra sentada

De rodillas en el piso, apoyamos los glúteos sobre los talones y estiramos una pierna hacia atrás. Las manos descansan sobre la rodilla flexionada. Los brazos están estirados y también la columna.

Se trabajan bien las dorsales y no las lumbares.

Hacemos diez o quince respiraciones, luego repetimos con la otra pierna. Desarmamos la postura y descansamos.

MEDIA POSTURA DEL PERRO

Nos arrodillamos; inclinamos el tronco hacia delante, y apoyamos las manos, los antebrazos y el mentón o una mejilla en el suelo. La cadera queda orientada hacia arriba.

Para que la postura sea más eficaz a nivel dorsal, los muslos deben quedar bien perpendiculares al suelo.

Haremos diez o quince respiraciones, en forma lenta y profunda, manteniendo esta postura.

BANDHA KONASANA (POSTURA DE RECOGIMIENTO)

Nos sentamos en el piso y flexionamos las rodillas, uniendo las plantas de los pies, acercándolos a la pelvis y tomando las puntas con las manos.

En la inspiración, manteniendo la espalda recta y sin forzar las rodillas, abrimos el ángulo al máximo.

Esta postura fortalece los músculos de la cara interna de las piernas, la pelvis y los órganos sexuales, que son músculos solicitados para el trabajo de parto.

La pinza con piernas separadas

Sentadas en el piso, con la espalda bien recta, separamos las piernas.

Luego giramos el tronco hacia la derecha, nos tomamos de la pierna, inhalamos estirando la espalda y al exhalar bajamos aún más. Mantenemos esa ligera presión por un momento.

Repetiremos este ejercicio dos veces con cada pierna.

Estiramos ahora el tronco hacia delante y nos tomamos de los talones, tobillos o pantorrillas. Permanecemos por un momento acompañando el estiramiento con respiraciones profundas.

POSTURA DEL DIAMANTE

Sentadas en el piso, con los glúteos apoyados sobre los talones, llevamos un pie hacia atrás, al costado de la cadera.

Doblamos la otra pierna de manera que los glúteos queden en el suelo, entre los pies.

Nos quedamos algunos segundos y luego desarmamos con lentitud.

Estiramos las piernas hacia delante y movilizamos las rodillas hasta aflojarlas.

Torsión sentadas

Nos cruzamos de piernas, apoyamos la mano izquierda en la rodilla derecha, inhalamos y al exhalar volteamos hacia la derecha.

La torsión se efectúa de abajo hacia arriba, girando primero las lumbares, luego las dorsales y finalmente las cervicales.

Sostenemos esta postura durante unos pocos minutos, respirando pausadamente, y realizamos el mismo movimiento hacia el otro lado.

Las torsiones revitalizan la columna vertebral, devolviéndole flexibilidad; estimulan la médula espinal, que recibe mayor irrigación sanguínea, y los nervios que atraviesan la columna.

Movilidad de la pelvis

Nos acostamos boca arriba y flexionamos las rodillas, formando con ellas un ángulo agudo y sin despegar los pies del suelo. Apoyamos bien la zona lumbar (la cintura). Levantamos los glúteos, y luego despegamos la cintura. Subimos todas las vértebras hasta apoyarnos sobre los hombros.

Sostenemos la cadera con las manos y efectuamos cinco respiraciones, principalmente abdominales.

En forma lenta iniciamos el descenso, bajando primero los omóplatos y las dorsales, luego la cintura y finalmente, los glúteos.

La media postura del feto

Acostadas boca arriba, doblamos una rodilla y pegamos el muslo al vientre; la otra pierna permanece en el piso extendida.

Abrazamos la pierna flexionada y permanecemos por un momento respirando en forma lenta y profunda. La soltamos, apoyamos la planta del pie en el piso y, deslizando suavemente el pie, extendemos la pierna.

Completamos esta postura realizando el ejercicio con la otra pierna.

Postura completa del feto

Acercamos al pecho ambas rodillas y las abrazamos.

Con cada respiración nos vamos aflojando, relajamos los genitales, los glúteos, la entrepierna, la columna, y nos concentramos en la respiración.

Piernas en ángulo

Acostadas boca arriba, apoyamos las piernas contra la pared –formando un ángulo recto con respecto al cuerpo– y nos relajamos algunos minutos, con los ojos cerrados.

En la misma posición, doblamos las rodillas, apoyando las plantas de los pies en la pared.

Hacemos una elevación pélvica comprimiendo los glúteos y el abdomen, y luego volvemos a la posición inicial.

Repetimos la elevación dos o tres veces. A continuación, nos relajamos completamente en el suelo.

Esta postura descongestiona las piernas, las caderas, y la parte inferior de la espalda. También estimula la circulación de retorno, lo que previene la aparición de várices.

Desbloqueo torácico

Situamos un almohadón debajo de los omóplatos; intentamos poner el sacro lo más plano posible, pegado al suelo, y estiramos los brazos hacia atrás.

Respiramos profundamente, diez o quince veces si es posible (o más si la posición resulta cómoda).

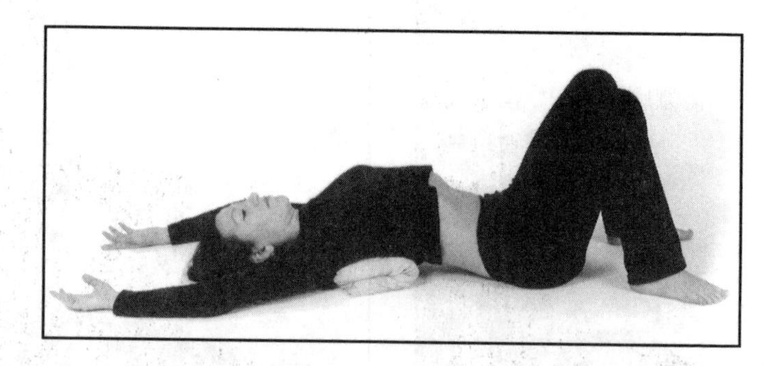

Para desarmar esta postura, volteamos hacia un lado, quitamos el almohadón, y luego volvemos a apoyar la espalda en el piso. Nos relajamos y observamos cómo se apoya la columna, la zona de los omóplatos y los hombros.

TORSIÓN EN EL SUELO

Acostadas en el piso, estiramos los brazos, a la altura de los hombros.

Cruzamos la pierna derecha por encima de la izquierda, tratando de que la espalda se despegue del piso lo menos posible.

Permanecemos en esta postura durante medio minuto aproximadamente, mientras nos vamos relajando con cada respiración.

Repetimos el ejercicio pero hacia el otro lado.

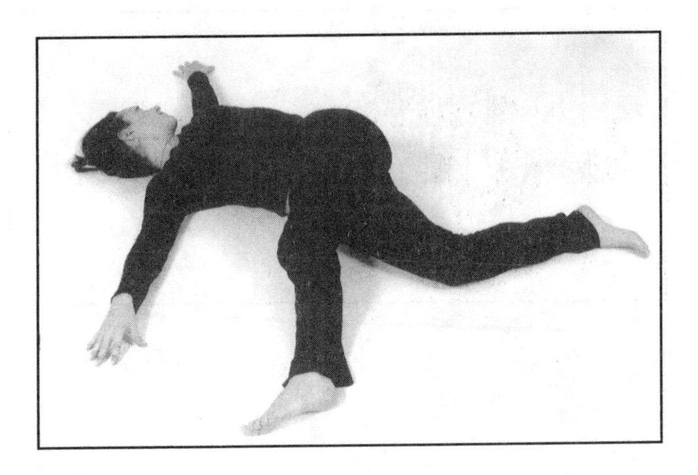

SAVASANA (POSTURA DE RELAJACIÓN BOCA ARRIBA)

Nos acostamos en el piso, boca arriba (si nos resulta más cómodo, podemos poner algunos almohadones debajo de la cabeza y las rodillas). Comenzamos a aflojar cada parte de nuestro cuerpo: los pies, los músculos de las pantorrillas, las rodillas; relajamos los músculos de los muslos; recorremos mentalmente la columna vertebral, la cadera y también los músculos de la espalda; aflojamos el cuello y los músculos de la cara.

Sentimos cómo el pecho y el vientre se aflojan en cada respiración y con cada exhalación nos relajamos un poco más. Luego de diez minutos aproximadamente, comenzamos a movernos lentamente, nos estiramos, nos ponemos de costado, y nos sentamos.

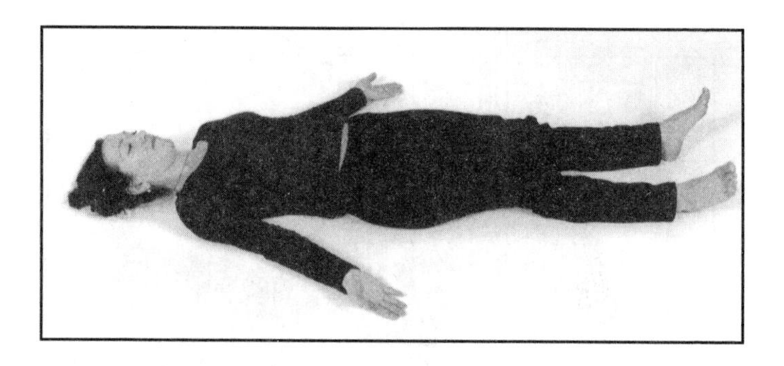

GIMNASIA *tradicional*

Los ejercicios físicos durante el embarazo se orientan a reforzar determinados grupos musculares.

PARA RELAJAR EL CUELLO Y LA CABEZA

EJERCICIO Nº 1

Con el mentón hacia el pecho, imitamos el movimiento de un péndulo, llevando la cabeza de un lado hacia el otro.

EJERCICIO Nº 2

Giramos la cabeza hacia un hombro y hacia el otro, manteniendo el mentón paralelo al piso.

EJERCICIO Nº 3

Llevamos el mentón hacia adelante, estirando la cara anterior del cuello. Luego lo hundimos, acercándolo al cuello.

EJERCICIO Nº 4

Inclinamos la cabeza hacia la derecha, como si quisiéramos tocar el hombro con la oreja. Luego, hacia el otro lado. Repetimos el ejercicio hasta completar tres veces hacia cada lado.

EJERCICIO Nº 5

Elevamos los hombros, casi hasta las orejas; llevamos hacia atrás la cabeza, y movemos la cabeza como si fuera un péndulo, masajeando la zona occipital contra el hueco que forman los hombros.

PARA DESCARGAR LA TENSIÓN DE LOS HOMBROS

EJERCICIO N° 1

Sacudimos los hombros enérgicamente, subiéndolos y bajándolos varias veces, con energía.

EJERCICIO N° 2

Inspiramos subiendo los hombros, y los bajamos, de golpe, convirtiendo la espiración en un soplido.

EJERCICIO N° 3

Hacemos círculos con los hombros: primero los llevamos desde adelante hacia atrás; luego, desde atrás hacia delante.

EJERCICIO N° 4

Entrelazamos los dedos de las manos, y sacamos las palmas hacia fuera. Con una inspiración elevamos los brazos, bien estirados, por encima de la cabeza. Sostenemos esta postura algunos segundos. Mantenemos la respiración y, al exhalar, bajamos lentamente los brazos.

PARA FORTALECER LOS BRAZOS

EJERCICIO Nº 1

Elevamos los codos a la altura de los hombros, mientras los antebrazos cuelgan hacia abajo.

Empujamos hacia atrás abriendo el pecho. Hacemos fuerza por un momento, luego soltamos y aflojamos.

EJERCICIO Nº 2

Con un brazo hacia arriba, el otro hacia abajo, volvemos a empujar haciendo fuerza mientras el pecho se abre.

Cambiamos la posición de los brazos: el que estaba por encima va hacia abajo y viceversa.

Ejercicio Nº 3

Llevamos el brazo derecho hacia arriba. Doblamos el codo y apoyamos la mano en la nuca.

Con la ayuda del otro brazo empujamos el codo para que la mano derecha descienda por la nuca.

Nos quedamos por un momento sintiendo el trabajo de los músculos. Luego hacemos lo mismo con el otro brazo.

Ejercicio Nº 4

Doblamos el brazo derecho por detrás de la espalda de manera que la mano nos quede apuntando hacia la zona comprendida entre los omoplatos.

Nos tomamos el codo o el antebrazo con la otra mano y empujamos para que la mano ascienda aún más por la columna.

Hacemos lo mismo con el otro brazo.

EJERCICIO Nº 5

Llevamos un brazo por arriba y el otro por debajo y nos tomamos de las manos en el centro de la espalda. Si no llegamos tomamos un cordón o una soga y tiramos hasta que las manos se acerquen cada vez más.

Lo repetimos cambiando la posición de los brazos.

Estos ejercicios no sólo fortalecen los músculos de los brazos sino que también favorecen el trabajo de los pectorales y de la musculatura alta de la espalda.

PARA FLEXIBILIZAR LA COLUMNA

EJERCICIO Nº 1

Nos sentamos contra la pared, manteniendo la espalda recta y bien apoyada. Recorremos mentalmente la columna, la espalda, el sacro, la cintura; bajamos los hombros y los orientamos hacia atrás. Nos aflojamos, respirando en forma lenta y profunda, y descansamos todo el peso de la espalda en la pared.

EJERCICIO Nº 2

Nos sentamos en el piso con las piernas cruzadas. Giramos la columna hacia la derecha, apoyando la mano izquierda sobre la rodilla derecha y la mano derecha, en el piso.

Volvemos lentamente, y repetimos el movimiento pero hacia el otro lado.

Nos paramos, cruzamos una pierna por delante de la otra y estiramos los brazos hacia los costados. Giramos en la dirección de la pierna del frente, mirando hacia el brazo de atrás. Invertimos la posición de las piernas y repetimos la torsión, pero hacia el otro lado.

PARA ESTIRAMIENTOS LATERALES

Ejercicio Nº 1

Nos cruzamos de piernas y estiramos un brazo hacia el techo, y luego el otro. Así se distienden los músculos intercostales, las axilas, los brazos y las manos.

Ejercicio Nº 2

Con las piernas separadas, estiramos el costado derecho mientras inhalamos, luego al exhalar flexionamos lateralmente el tronco sobre la pierna izquierda.

Cuidamos que el brazo no se nos caiga y que el pecho permanezca abierto en todo momento.

Luego nos estiramos hacia el otro lado.

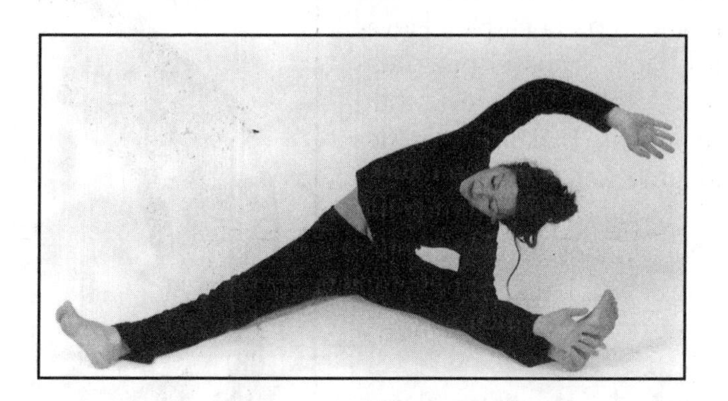

EJERCICIO Nº 3

Nos sentamos en el piso. Cerramos los puños, y empujamos con ellos el suelo.

Así se distienden los músculos de la espalda y el abdomen.

Ejercicio Nº 4

De pie, separamos las piernas y los pies, sin excedernos del ancho de la cadera. Llevamos hacia arriba el brazo derecho, inhalamos estirando ese lateral. Exhalamos y flexionamos el tronco hacia el lado izquierdo.

Observamos que el brazo no se nos caiga hacia delante para que el pecho permanezca abierto.

Luego lo repetimos flexionando la columna hacia el otro lateral.

PARA TRABAJAR CON LA PELVIS

Ejercicio Nº 1

Recorremos con las manos toda la zona de la pelvis.

Tensamos y relajamos sus músculos. Hacemos este ejercicio varias veces, observando cómo se contrae y relaja la zona.

Ejercicio Nº 2

Nos acostamos de espaldas con las piernas flexionadas y los pies apoyados en el piso.

Tensamos el pavimento pélvico en cuatro o, cinco etapas, cada vez que respiramos.

No descomprimimos de golpe sino en etapas, aflojando un poco, haciendo una pausa, luego otro poco, otra pausa, y continuamos así hasta aflojarnos totalmente.

SUGERENCIA

Este ejercicio podemos practicarlo también de pie o caminando. Mientras lo hacemos debemos observar qué otros músculos están en tensión, para intentar relajarlos y evitar así un desgaste de energía extra.

Ejercicio Nº 3

Apoyamos las rodillas en el piso –respetando el ancho de la cadera–; luego, las manos, a la altura de los hombros. Mantenemos la espalda recta.

Contraemos los músculos abdominales, tensionamos los glúteos y elevamos la pelvis.

La zona de los riñones se arquea.

Ejercicio Nº 4

En la misma posición, movemos la pelvis despacio, de un lado a otro. Giramos la cabeza para ver la cadera, que se mueve hacia fuera.

Ejercicio Nº 5

Paradas, con los pies paralelos y la columna derecha.
Elevamos una cadera, luego la otra despegando alternativamente del suelo los talones.

Ejercicio Nº 6

En la misma posición del ejercicio anterior, flexionamos las rodillas y alineamos la columna. Trazamos círculos con la cadera, primero hacia un lado y luego hacia el otro.

EJERCICIO Nº 7

Nos acostamos boca arriba, flexionamos las rodillas y apoyamos los pies en el piso. Colocamos un almohadón debajo de la cadera, a la altura del hueso sacro. Nos quedamos un momento en esta posición.

Acercamos las rodillas al pecho, apoyamos una mano sobre cada rodilla, y las separamos.

Trazamos círculos, primero en un sentido, luego en el otro.

Volvemos a apoyar los pies en el suelo, y extendemos lentamente las piernas.

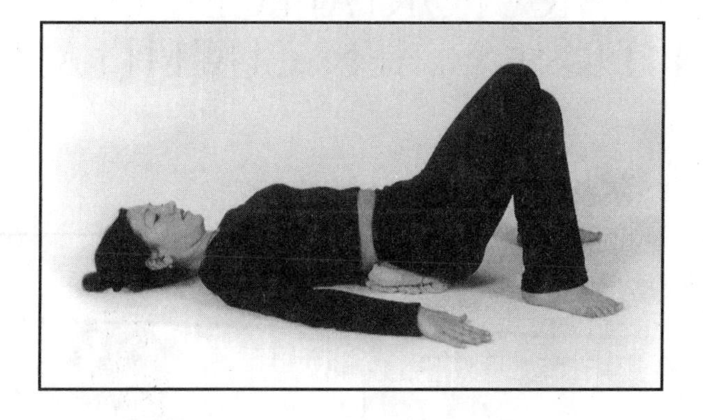

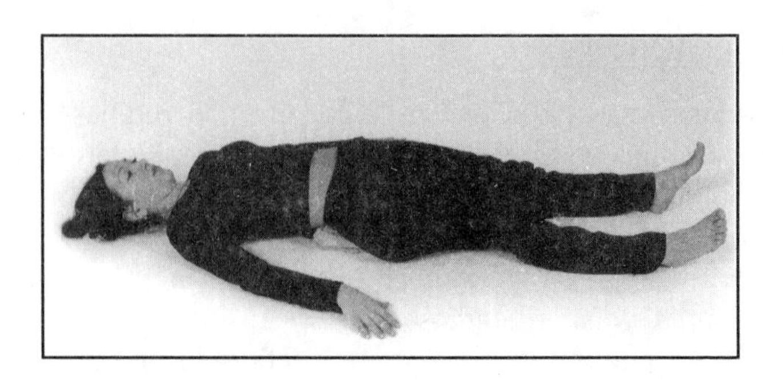

PARA FORTALECER LAS PIERNAS... ¡EN CUCLILLAS!

EJERCICIO Nº 1

En cuclillas, con los talones perfectamente apoyados en el piso, flexionamos al máximo las rodillas.

Mantenemos la columna derecha y repartimos el peso del cuerpo entre ambos apoyos.

En la misma posición realizamos balanceos. Llevamos el peso del cuerpo hacia un lado, y luego hacia el otro.

EJERCICIO Nº 2

Paradas; la espalda, apoyada contra la pared; los pies, paralelos, separados (respetando el ancho de las caderas). Bajamos deslizando la espalda contra la pared, hasta quedar agachadas. Permanecemos allí por un momento, luego subimos y lo repetimos dos veces más.

SUGERENCIA

Podemos colocar almohadones en el piso, para que el descenso sea parcial.

PARA MANTENER LAS RODILLAS FLEXIBLES

EJERCICIO Nº 1

De pie, inclinamos el tronco hacia delante hasta apoyar las manos en las rodillas, las flexionamos y las movemos, trazando círculos hacia un lado, y hacia el otro.

Ejercicio Nº 2

De pie, con las piernas juntas y las manos en la cadera, flexionamos y extendemos las rodillas varias veces.

Ejercicio Nº 3

Sentadas en el piso, con la espalda bien apoyada en la pared y las piernas estiradas. Flexionamos la rodilla derecha hasta que el talón toque el glúteo. Mantenemos esta posición, y luego dejamos que el pie se deslice rápidamente. Luego repetimos el movimiento pero con la otra pierna.

Trabajamos en forma alternada descargando tensiones de las piernas, cada vez que las soltamos.

ESTIRAMIENTOS

EJERCICIO Nº 1

Nos ponemos de pie y separamos las piernas, respetando el ancho de la cadera. Apoyamos las manos en la espalda a la altura de la cintura y llevamos el tronco hacia atrás hasta donde podamos. Volvemos lentamente y lo repetimos hasta completar tres veces y luego pasamos a la otra pierna.

EJERCICIO Nº 2

Separamos bien las piernas y flexionamos el tronco hacia delante. Manteniéndonos abajo un momento, respiramos profundamente. Repetimos el movimiento dos veces más.

EJERCICIO Nº 3

Nos sentamos y separamos bien las piernas. Giramos el tronco hacia la pierna derecha y nos tomamos del muslo o de la pantorrilla. Tomamos aire y estiramos la columna desde el coxis hasta las cervicales. Al exhalar, nos inclinamos hacia abajo y adelante, hasta donde la panza lo permita.

EJERCICIO Nº 4

Nos tendemos en el piso apoyando los glúteos y la cara posterior de las piernas contra la pared, con las rodillas orientadas hacia fuera y las plantas de los pies, unidas cara contra cara. Con las manos hacemos presión sobre las rodillas, tratando de que toquen la pared. Nos quedamos un momento manteniendo el estiramiento de la pelvis y de la cara interna de las piernas.

Ahora separamos bien los pies y apoyamos ambas plantas contra la pared. Suavemente bajamos y abrimos las rodillas con las manos. Presionamos los pies contra la pared.

PARA MEJORAR LA CIRCULACIÓN DE LAS PIERNAS

Mantener las piernas en alto algunos minutos, alivia el cansancio de las piernas, caderas, y la parte inferior de la espalda.

EJERCICIO Nº 1

Acostadas boca arriba, apoyamos los pies sobre la pared y estiramos las piernas.

Tratamos de que toda la columna toque el piso y nos relajamos algunos minutos con los ojos cerrados.

Realizamos caminatas de arriba hacia abajo y viceversa, levantando poco a poco las plantas, desde los talones hasta los dedos.

EJERCICIO Nº 2

En la misma posición flexionamos las rodillas, apoyando las plantas de los pies en la pared.

Hacemos una elevación pélvica, comprimiendo los glúteos y el abdomen, y luego volvemos a la posición inicial.

Repetimos el movimiento tres veces, luego descansamos con las piernas en alto.

Para levantarnos del piso, nos echamos hacia un costado con las piernas flexionadas.

Apoyamos las manos en el suelo y despacio y con cuidado despegamos la columna del piso hasta incorporarnos lentamente.

Las posiciones de pie son útiles porque fortalecen las piernas, lo que nos permitirá, durante el parto, pujar con fuerza.

SUGERENCIA

Siempre que nos resulte incómodo apoyarnos directamente sobre el piso, podremos utilizar almohadones.

EL *automasaje*

Los masajes son una buena manera de aliviar las tensiones, y percibir los cambios corporales que se van produciendo en el embarazo.

A través de las manos tomamos contacto con cada parte de nuestro cuerpo, palpando, reconociendo y redescubriendo sus formas.

GUÍA DE EJERCICIOS

Para que la relajación sea mayor es conveniente mantener los ojos cerrados. De esta manera será más fácil conectarnos con las diferentes sensaciones que aparezcan al tocar la piel.

LOS PIES

• Sentadas -en una silla o en el suelo- cruzamos una de las piernas (de modo que el tobillo de una quede sobre la rodilla de la otra, dejando el pie libre).

Colocamos ambas manos sobre la planta del pie y la masajeamos con los pulgares, recorriendo el talón, el arco interno, el externo, la almohadilla y los dedos. Podemos utilizar una lámina de reflexología para intensificar el carácter curativo de este masaje.

Según la reflexología, en las manos y en los pies existen ciertos puntos que están directamente relacionados con partes del cuerpo. Son muy específicos, y presionándolos podemos aliviar dolencias o estimular el funcionamiento de los órganos.

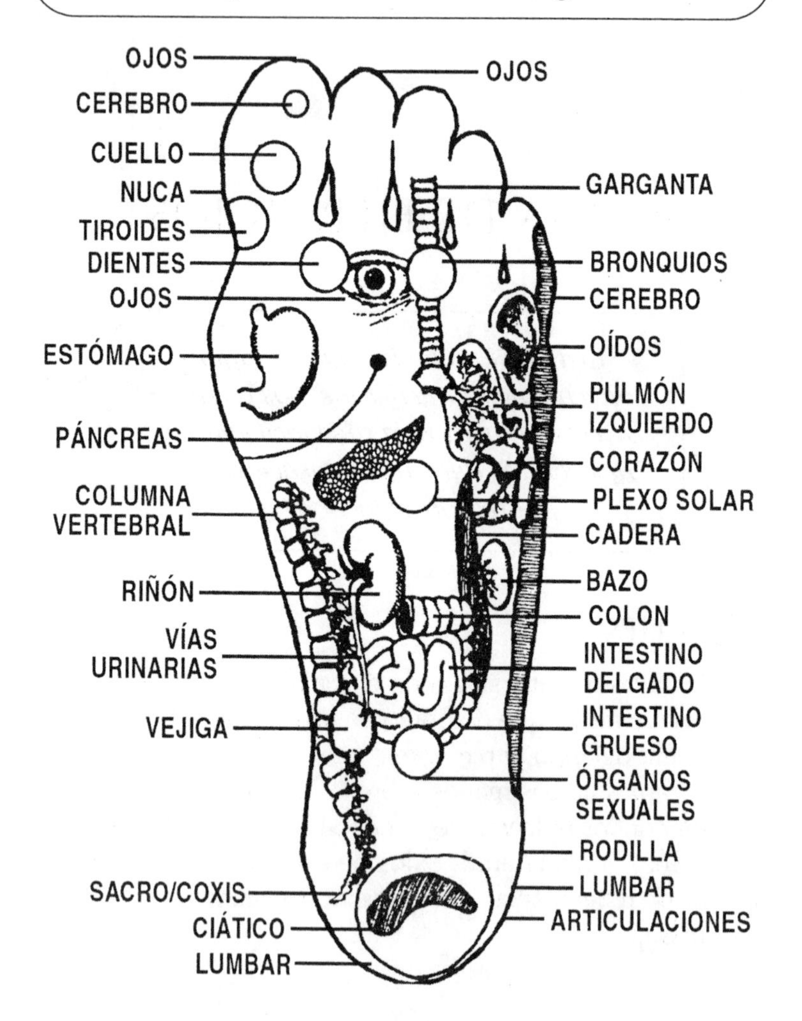

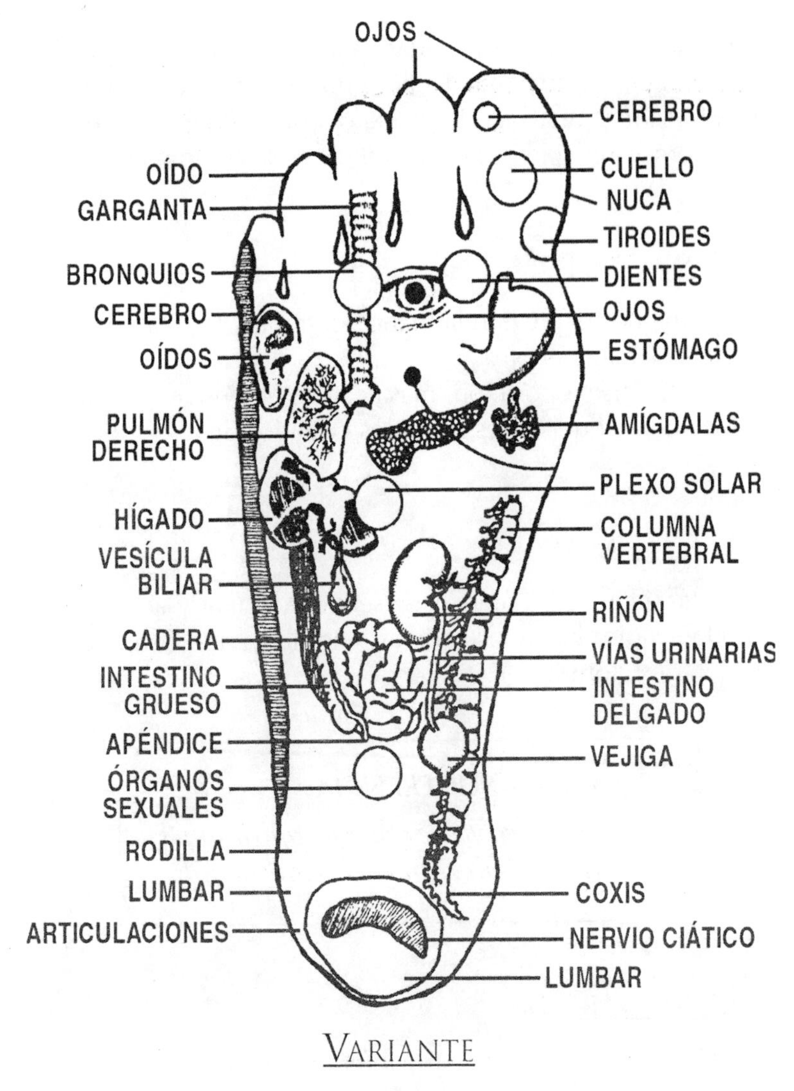

Variante

Separamos los dedos entre sí.
Tomamos cada dedo y los rotamos hacia un lado y hacia el otro.

• Mientras estamos sentadas, podemos realizar un masaje con una pelota de goma. La llevamos de adelante hacia atrás, y la hacemos girar bajo la planta del pie. Masajeando el borde interno, trabajamos la zona refleja de la columna vertebral.

Los tobillos

• Tomamos el pie con la mano contraria y lo rotamos hacia un lado y hacia el otro.

• En la misma posición, masajeamos el tendón de Aquiles, y los huesos que sobresalen a los costados de los tobillos.

Las piernas

• Masajeamos las piernas en sentido circular y ascendente, desde los pies hacia las caderas, contribuyendo con la circulación de retorno.

SUGERENCIA

Podemos realizar este masaje después de un baño, antes de vestirnos.

El vientre

• Comenzamos con la parte inferior del abdomen, con movimientos circulares y suaves; luego alrededor y encima de la zona más prominente de la panza. Finalmente, la rodeamos, masajeando los laterales.

Este ejercicio es muy agradable ya que pone en contacto a la mamá con su bebé, que poco antes de nacer percibe estas caricias.

SUGERENCIA

Consultemos con nuestro médico respecto de las cremas enriquecidas con vitamina A que podemos utilizar para practicar estos masajes y prevenir la aparición de estrías.

LOS HOMBROS

• Movemos los hombros, describiendo círculos hacia atrás, mientras inhalamos y al volver al punto inicial, exhalamos. Cada vez que se completa una circunferencia, bajamos los hombros y nos relajamos unos minutos.

• Colocamos la mano derecha sobre el hombro izquierdo y masajeamos esa zona con firmeza. Con la mano tomamos los músculos que recubren la articulación del hombro, apretamos y soltamos.
Luego repetimos este ejercicio pero del otro lado.

MASAJE PARA EL CUELLO

• Llevamos la mano derecha a la nuca y tomamos los músculos que recubren el cuello; apretamos y soltamos, como si quisiéramos que esos músculos se despegaran de las cervicales.

Nos detenemos y frotamos las zonas que más nos duelen o molestan.

Cambiamos de mano para no cansarnos.

• Apoyamos la mano derecha en el espacio que hay entre el cuello y el final del hombro izquierdo.

Masajeamos esos músculos, los tomamos fuertemente, luego los soltamos.

Observamos si hay tensión, si hay "nudos". De ser así, los "disolveremos" con una leve presión y movimientos circulares.

Los brazos

Repetir toda la secuencia de masajes en cada brazo.

• Apoyamos la mano izquierda sobre el hombro derecho, y deslizamos la mano hacia abajo acariciando el brazo, el codo y el antebrazo.

Luego subimos por la cara interna, llegamos al hombro, y repetimos el mismo circuito.

• Abrazamos con la mano el antebrazo y comenzamos a masajearlo desde el codo a la muñeca, deteniéndonos en ella y frotándola bien, ya que es una zona llena de tensiones; de esta forma, bajamos y subimos varias veces.

• Tomamos el brazo y masajeamos desde el codo hasta el hombro.

LAS MANOS

• Apoyamos palma con palma, y deslizamos primero una y luego la otra, como si quisiéramos limpiar la zona, desde el centro hacia cada los dedos.

• Tomamos una mano con la otra, de modo que el pulgar quede apoyado en la palma.

Recorremos en forma circular toda la cara interna de la mano con el pulgar (estimulando los puntos del esquema de reflexología).

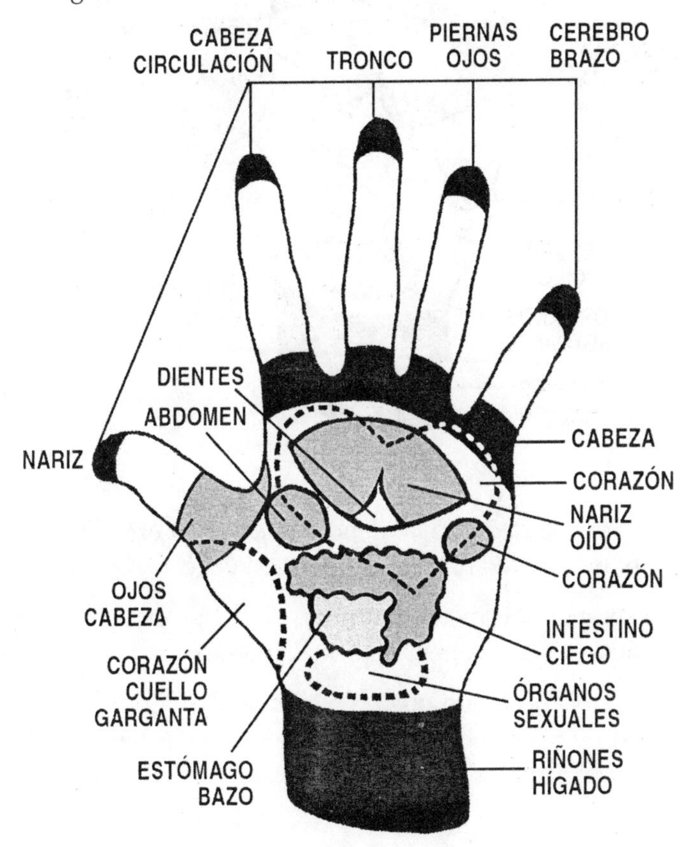

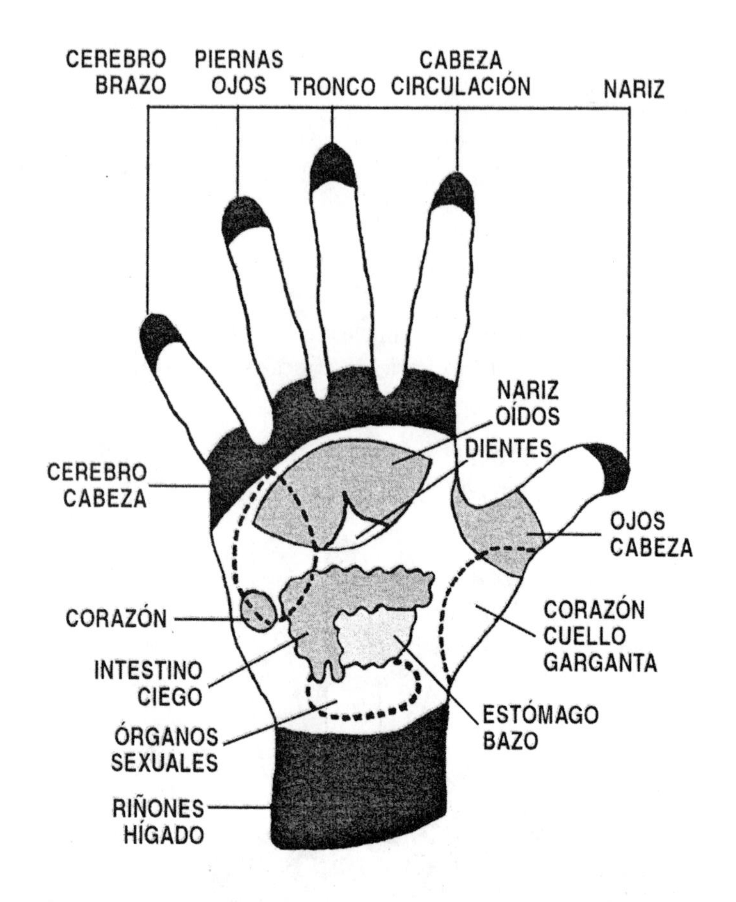

• Tomar cada dedo de la mano derecha con el pulgar, el índice y el mayor de la mano izquierda. Luego:

1 Estirarlos levemente para que cada hueso se separe del que sigue. Luego, repetir el procedimiento con la otra mano.

2 Del mismo modo que en el ejercicio anterior, tomar cada dedo y hacer un movimiento de rotación hacia un lado y hacia el otro.

3 Tomar cada dedo y llevarlo hacia la palma y luego hacia fuera (flexión y extensión de los dedos).

MASAJES PARA LA CABEZA

• Apoyamos los dedos sobre el mentón y lo estiramos hacia abajo; luego, hacia los costados.

• Nos detenemos sobre los costados de las mandíbulas inferiores, y hacemos movimientos circulares para descargar tensiones allí acumuladas.

• Masajeamos la nariz desde el entrecejo hacia las fosas nasales, con movimientos circulares.

• Apoyamos la yema de los dedos sobre los pómulos y, con movimientos circulares, tratamos de que la piel y los músculos se desprendan de los huesos.

• Masajeamos la frente desde el centro hacia las sienes, y desde las cejas hacia arriba. Nos detenemos en las sienes y suavemente describimos círculos con las yemas de los dedos. En el entrecejo, tratamos de borrar las arrugas que allí se forman.

• Recorremos con las manos toda la cara, dejando que se detengan donde quieran. Nos concentramos en las sensaciones que este contacto provoca.

• Apoyamos las yemas de los dedos sobre el cuero cabelludo y lo masajeamos hacia adelante y hacia atrás varias veces, mientras observamos cómo se despega y adquiere mayor elasticidad.

LA *relajación*

La relajación profunda es el mejor complemento para todos los ejercicios detallados en este libro.

Durante la relajación nuestro estado de conciencia cambia completamente. La mente se libera de las preocupaciones habituales y una sensación de bienestar nos invade.

Ejercicio modelo para una relajación

Recostadas boca arriba, sobre una frazada o colchoneta, cerramos los ojos durante algunos minutos y dejamos que los brazos descansen a los costados del cuerpo, con las palmas de las manos hacia arriba.

Dejamos que el aire entre y salga naturalmente.

Recorremos mentalmente nuestro cuerpo; si percibimos tensión en alguna zona, nos detenemos allí especialmente con el fin de hallar una postura más cómoda.

Dirigimos nuestra atención hacia aquellas zonas en donde se acumula tensión habitualmente, y las relajamos especialmente.

Continuamos respirando en forma profunda y en cada exhalación buscamos aflojarnos un poco más.

El cuerpo se siente pesado y blando; la mente, relajada.

Evocamos un paisaje que nos resulte agradable, un lugar en el que hayamos sido felices y cuyo recuerdo nos transmita paz. Si en él hay una corriente de agua –el predominio del color azul es una aliado en este tipo de ejercicios– vamos a observar sus movimientos, concentrándonos en todos los olores y sonidos que podamos recuperar de ese lugar.

Variante

Otra opción es elegir una fruta que nos agrade: evocar su textura, su color y aroma. Luego de recorrerla imaginamos que somos muy pequeñitas y hallamos en su superficie algo así como una puerta, un pasadizo que nos permite ingresar al interior de esa fruta. Poco a poco, vamos a recorrer la pulpa hasta alojarnos en la semilla.

Al cabo de algunos minutos, comenzamos el regreso, tratando de recomponer mentalmente el ambiente en el que nos hallamos.

Empezamos a percibir el contacto del cuerpo con el piso, a movernos, estirarnos y desperezarnos.

Luego rotamos hacia un lado, y comenzamos a incorporarnos poco a poco hasta sentarnos, manteniendo siempre la cabeza gacha y los ojos cerrados.

Lentamente levantamos la cabeza, abrimos los ojos y nos ponemos de pie.

Es importante tener cerca una manta ya que cuando nos relajamos la temperatura corporal suele bajar.

RECUPERACIÓN FÍSICA *en el* *post-parto*

Las primeras horas después del parto exigen reposo y no debemos desoír las demandas de nuestro cuerpo.

Una vez iniciada la lactancia y pasadas las ligeras molestias que supone, podemos practicar ciertos ejercicios, orientados a robustecer la musculatura distendida por el embarazo.

CONSEJOS

Es conveniente utilizar un corpiño que mantenga los pechos bien sujetos durante las prácticas, y suprimir indefectiblemente aquellos ejercicios que nos produzcan dolor.

BREVE GUÍA DE EJERCICIOS

Abdominales

Ejercicio Nº 1

Nos acostamos boca arriba y ubicamos las manos debajo de los glúteos.

Flexionamos las rodillas, acercando los muslos al pecho.

Al inspirar las estiramos, formando un ángulo recto con respecto al cuerpo.

Las bajamos despacio sin llegar al suelo, y reteniendo el aire.

Luego las flexionamos nuevamente, al tiempo que exhalamos todo el aire.

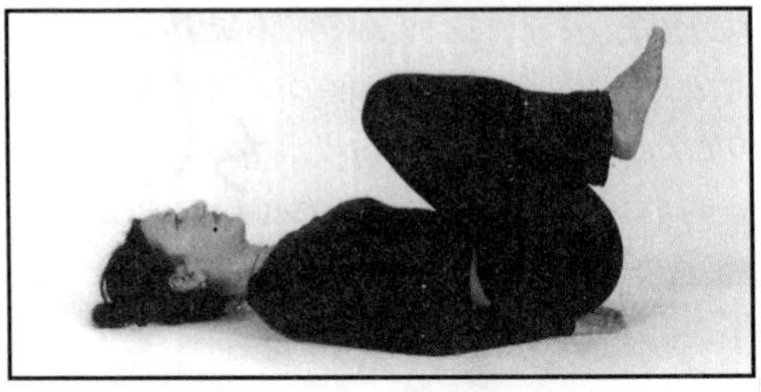

VARIANTE

Repetimos el ejercicio anterior pero con una sola pierna a la vez.

EJERCICIO Nº 2

Acostadas boca arriba, ponemos las manos debajo de los glúteos.

Separamos las piernas del piso unos centímentros y las cruzamos alternativamente, una vez por arriba y otra vez por abajo (inhalando cuando las separamos y exhalando en cada cruce).

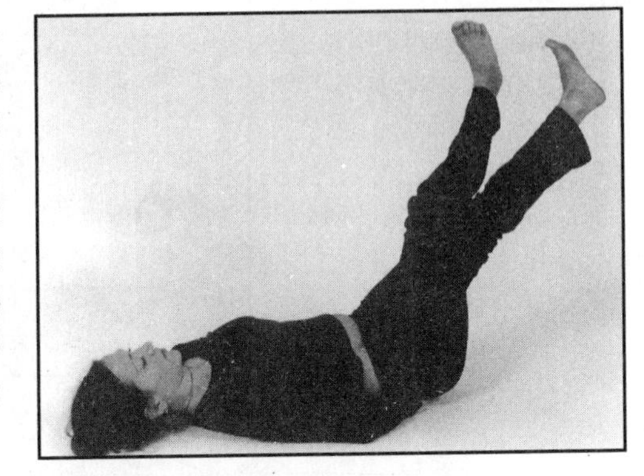

VARIANTE

En la misma posición del ejercicio anterior, subimos y bajamos las piernas con las puntas de los pies estiradas y sin tocar el suelo.
Respiramos con ritmo.

EJERCICIO Nº 3

Acostadas en el piso sobre una manta o colchoneta, colocamos las manos debajo de los glúteos.

Flexionamos las rodillas acercándolas al pecho, y comenzamos a pedalear -sin tocar el suelo- como si estuviéramos en una bicicleta.

Flexiones de tronco

EJERCICIO Nº 1

Nos ponemos de pie, juntamos pies y piernas.

Inspiramos levantando los brazos.

Espiramos flexionando el tronco hacia abajo, sin doblar las rodillas.

EJERCICIO Nº 2

Acostadas boca abajo, mantenemos las piernas juntas y llevamos las manos a la nuca.

Inspiramos y levantamos al máximo la cabeza y los codos; exhalamos y regresamos a la posición inicial.

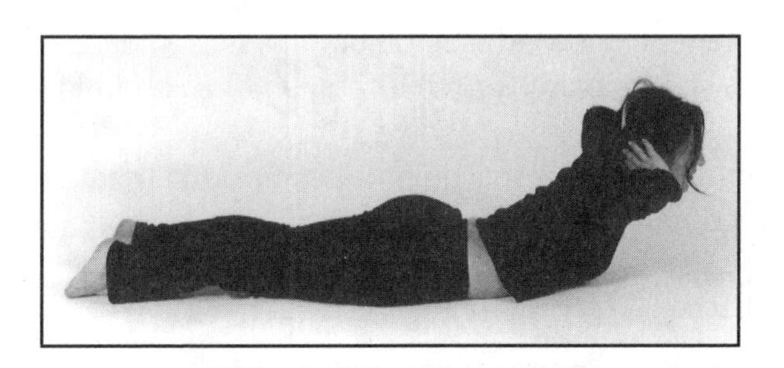

EJERCICIO Nº 3

Acostadas en el piso acercamos los muslos al pecho y pasamos una cinta por las plantas de los pies.

Tomamos de la cinta con ambas manos y comenzamos a estirar las rodillas hasta que las piernas queden sobre la vertical.

Hacemos pequeños círculos hacia un lado y hacia el otro.

Observamos que no haya tensión en las piernas ni en el vientre ya que el trabajo lo hacen los brazos.

Ejercicio Nº 4

Bajamos una pierna al piso y la relajamos.
La otra pierna continua arriba tomada de la cinta.
Inspiramos y al exhalar dejamos caer esa pierna hacia el costado, mientras seguimos sosteniéndola.
Nos quedamos un momento respirando en forma lenta y consciente. En cada exhalación tiramos suavemente de la cinta como si quisiéramos acercar el pie por el costado hacia la cabeza.
Soltamos la cinta y suavemente estiramos la pierna en el piso. Luego repetimos toda la secuencia con la otra pierna.

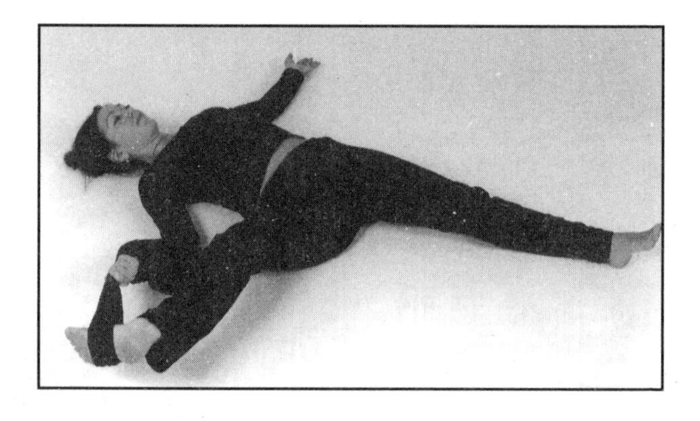

ESTE LIBRO SE TERMINÓ DE IMPRIMIR EN
GAMA PRODUCCIÓN GRÁFICA
ZEBALLOS 244
AVELLANEDA
MAYO DE 2001